Pour ma merveilleuse fille, Sonia,
et sa courge adorée – P.Z.M.

Pour Ariane Goetz – A.W.

Texte traduit de l'anglais par Élisabeth Duval

Titre de l'ouvrage original : SOPHIE'S SQUASH
Éditeur original : Schwartz & Wade Books
an imprint of Random House Children's Books, a division of Random House, Inc., New York
Pour la traduction française : © Kaléidoscope 2015
11, rue de Sèvres, 75006 Paris
Loi n° 49.956 du 16 juillet 1949 sur les publications
destinées à la jeunesse : mars 2015
Dépôt légal : février 2016
ISBN 978-2-877-67847-6
Imprimé en Italie

Diffusion l'école des loisirs

www.editions-kaleidoscope.com

SOPHIE ET SA COURGE

ÉCRIT PAR **Pat Zietlow Miller**
ILLUSTRÉ PAR **Anne Wilsdorf**

kaléidoscope

Par une belle journée d'automne, Sophie choisit
une courge au marché des fermiers.
Ses parents pensent mettre la courge au menu du dîner,
mais Sophie a une autre idée.

La courge a pile la taille d'être tenue, blottie, dans le creux de ses bras.

Pile la taille de sauter
à dada sur ses genoux.

Pile la taille d'être aimée.
"Je suis contente de t'avoir rencontrée, chuchote Sophie. Les vraies amies sont dures à trouver."

Dans sa chambre, Sophie lui dessine un visage à l'aide de feutres.

Puis elle l'enveloppe dans une couverture et la berce pour l'endormir.

Au moment de préparer le dîner, la maman de Sophie regarde la courge, puis elle regarde Sophie.

"Je l'ai appelée Bernice", dit Sophie.

"Je vais commander une pizza", dit sa maman.

C'est ainsi que partout où Sophie va,

Bernice l'accompagne.

À la bibliothèque, à l'heure du conte,

au marché des fermiers

pour saluer les autres courges,

ou dans le jardin pour faire des galipettes.

Chaque soir, Sophie donne à Bernice un biberon, un câlin et un bisou.

"Bah, Sophie aime les légumes, c'est ce que nous voulions, non ?"
dit la maman de Sophie au papa de Sophie.

"Chuuuuuut, dit Sophie, Bernice dort."

Un matin où elles préparent ensemble des gaufres aux myrtilles, la maman de Sophie lui dit : "Ma chérie, Bernice n'est pas une amie, c'est une courge. Si nous ne la mangeons pas vite, elle va se gâter et pourrir. Nous pourrions en faire un gâteau avec de la guimauve, ce serait délicieux, non ?"

"Bernice, n'écoute surtout pas !" crie Sophie.

Dans l'après-midi, le papa de Sophie l'emmène faire des courses.
"Mon poussin, dit-il, Bernice est une courge. Pourquoi ne choisis-tu pas
un joli jouet à la place ?"

Mais les camions sont trop durs

et les poupées sont trop molles.

Sophie serre Bernice dans ses bras.
"Non, merci, dit-elle,
j'ai tout ce qu'il me faut."

Après le dîner, les parents
de Sophie décident qu'il est temps
d'avoir une vraie conversation.
Bernice s'est endormie
sur les genoux de Sophie.
"Et si nous offrions Bernice
à la banque alimentaire avant qu'elle
ne pourrisse ?" suggère son papa.

"Bernice est éternelle", répond Sophie en secouant la tête.

"Bernice a l'air un peu tachée", remarque un jour
le papa de Sophie sur le chemin de la bibliothèque.
"Je la trouve parfaite", rétorque Sophie.

À l'heure du conte, des enfants écarquillent les yeux et pointent
du doigt la courge.

"C'est quoi, ce truc plein de taches ?" demande un garçon.

"Elle s'appelle Bernice et c'est une COURGE,
répond Sophie. Avec des TACHES DE ROUSSEUR."

"Peut-être que Bernice devrait rester
à la maison la prochaine fois ?"
propose la maman de Sophie.

"Pourquoi ? demande Sophie. Ce n'est pas
elle qui a manqué de délicatesse."

Mais plus l'hiver approche et plus Sophie observe des changements.

Bernice semble plus molle et ses galipettes n'ont plus le même élan.

"Rendre visite à des amies te remontera le moral", dit Sophie.

Au marché, l'étal du fermier déborde de courges. Des courges fermes et brillantes.

"Quel est le secret d'une courge en pleine forme ?" demande Sophie.

"C'est très simple, répond le fermier. Le grand air, une bonne terre et un peu d'amour."

Pas de problème, se dit Sophie, *j'ai tout ça.*

Dans son jardin, Sophie va à l'endroit préféré
de Bernice. Elle lui fait un lit dans la terre bien
meuble et l'y glisse, puis elle l'embrasse
et lui souhaite une bonne nuit.
"Guéris vite", murmure-t-elle.

Durant la nuit, alors que Sophie dort dans son lit, le vent siffle
et de minuscules flocons de neige se mettent à tomber.

Quand Sophie se réveille, tout est blanc dehors.

"Est-ce que tu crois que Bernice a froid, là-bas ?" demande Sophie à sa maman.

"Je suis sûre qu'elle a bien chaud sous sa couverture de neige",
lui répond sa maman.

Sophie reste devant la fenêtre
toute la matinée.

Sophie est toujours près de la fenêtre lorsque
son papa rentre dans l'après-midi avec une surprise.
"Tu as besoin d'un nouvel ami", dit-il.

"Je te présente Champion !"

Champion est gentil mais ennuyeux. Il ne fait que nager en tournant en rond dans son aquarium.

Pourtant, durant le long hiver, Sophie découvre que Champion sait remuer les lèvres en silence comme un bon lecteur et qu'il est très fort en galipettes. Et aussi qu'il écoute toujours poliment lorsqu'elle lui parle de Bernice.

Quand la neige fond enfin, Sophie se précipite dans le jardin.

Une toute petite pousse verte sort de terre.

Elle lui semble étrangement familière.

"Bernice ! s'écrie Sophie, comment s'est passé ton hiver ?"

Sophie, Champion et Bernice prennent l'habitude
de goûter ensemble chaque jour.

Sous le soleil d'un matin d'été,
Sophie, qui fait des galipettes dans l'herbe,

atterrit dans le jardin
et n'en croit pas ses yeux.

Bernice a deux minuscules courges.

"Waouh, s'exclame Sophie, vous êtes le portrait craché de votre maman."

Bonnie et Béa ont bientôt pile la taille d'être serrées
dans les bras de Sophie et de sauter sur ses genoux.

Pile la taille d'être aimées.